Alice de Poncheville

# Le hêtre vivant

*Illustrations de Charles Castella*

*l'école des loisirs*

11, rue de Sèvres, Paris 6ᵉ

Du même auteur à *l'école des loisirs*

Collection MOUCHE

*Grande saucisse et toute petite chose*
*Le tamanoir hanté*
*Les Toquémones*

ISBN 978-2-211-22492-5

*© 2016, l'école des loisirs, Paris, pour la présente édition*
*dans la collection « Animax »*
*© 2014, l'école des loisirs, Paris*
*Loi n° 49.956 du 16 juillet 1949 sur les publications*
*destinées à la jeunesse : mars 2014*
*Dépôt légal : mai 2016*
*Imprimé en France par Clerc à Saint-Amand-Montrond*

*Édition spéciale non commercialisée en librairie*

Une nouvelle histoire de Forêveuse

# Chapitre 1

Loubliette, émerveillé, regardait le jour se lever sur Forêveuse. Les premiers rayons du soleil perçaient entre les branches des arbres. Leurs feuilles frémissaient et brillaient comme les paillettes d'un costume de fête. Seul et heureux, Loubliette, le loup insomniaque, oublia sa nuit sans sommeil et l'étrange épisode auquel il avait assisté. Car cette nuit, dans le calme de la forêt, il s'était bel et bien passé quelque chose. Un événement inattendu et mystérieux avait eu lieu. Un changement s'était produit, bizarre et stupéfiant.

Si Loubliette n'avait pas eu cette drôle de matière molle à la place d'un cerveau normal, il aurait pu en informer tous les dignes habitants de la forêt. Mais il ne l'avait pas fait.

Tant pis, on aimait Loubliette comme il était, avec sa tête pleine de fromage blanc et ses souvenirs bien cachés dedans.

Il fallait maintenant attendre que quelqu'un d'autre s'aperçoive du changement. Cela pouvait prendre du temps. Ou arriver très vite. On espérait, pour l'intérêt de cette his-toire, que cela ne traîne pas trop.

Furétourdi, lancé à toute vitesse,
freina des quatre pattes en croisant
Loubliette.

— Tu as déjeuné? lui demanda-
t-il.

– Heu, je ne sais pas, répondit Loubliette.

– Qu'est-ce que tu veux qu'il te réponde ! s'exclama Geai-toujours-un-truc-qui-va-pas depuis sa branche. Il a autant de mémoire qu'un moucheron !

Les moucherons n'avaient peut-être pas le temps d'avoir des souvenirs, mais ils n'étaient pas plus malheureux que les autres, pensa le loup. Puis il toucha son ventre qui était fort creux :

– Je n'ai pas encore mangé ! On va quelque part ? proposa-t-il à Furétourdi.

Et il fit claquer ses mâchoires en direction du geai, aussitôt envolé.

Les deux amis filèrent au bar de

Campagnôle. Ils trouvèrent celui-ci écroulé sur un rondin. Il avait trop bu d'alcool de poire. Furétourdi le regarda d'un air désapprobateur :

— Comme d'habitude ! soupira-t-il.

— Comme toujours ! fit Loubliette pour avoir l'air complice.

Mais il ne voyait pas bien ce qui posait problème dans le tableau.

Sourigolote jaillit du chêne creux où le bar à thym était installé et se mit à passer frénétiquement le balai entre les rondins qui servaient de tables.

— Qu'est-ce que ce sera pour ces messieurs ? s'écria-t-elle en posant son balai.

— Des écorces grillées, un ver de

vase et un jus de sureau, s'il te plaît,
commanda Furétourdi.

— Pareil ! enchaîna Loubliette, et
allume un peu la lumière !

Il faisait sombre ce matin. Et pour cause…

Ils revinrent tous les jours de la semaine, sans que Loubliette se souvienne de l'étrange événement. Le huitième jour, Hermine-de-rien s'attabla avec les deux compères et partagea une salade de groseilles.

— L'herbe est moins verte de ce côté de la forêt, nota Hermine-de-rien.

Cette remarque avait l'air anodine et inintéressante, mais, mais,

mais… c'était la première étape d'un raisonnement qui allait mener les animaux de Forêveuse vers une découverte très importante.

# Chapitre 2

La voûte des arbres s'était en effet épaissie au-dessus du café de Campagnôle. Ainsi, il faisait plus sombre et les herbes, manquant de soleil, s'étaient mises à pâlir. Mais comment était-il possible qu'il y ait soudainement plus de branches et plus de feuilles pour cacher le soleil ?

— Est-ce qu'il y a un nouvel arbre ? demanda Hermine-de-rien.

Crapaupotin qui dégustait une crème de limaces avec Renarnaque

se tourna vers l'hermine, l'air gogue-
nard :

– Un nouvel arbre ! mais un
nouvel arbre, ça n'existe pas ! Les
arbres naissent et grandissent au
même endroit. Ils sont là, et c'est
tout. Un « nouvel » arbre, ça ne veut
rien dire.

– Et qu'est-ce qui t'empêche d'être aimable ? s'indigna Hermine-de-rien.

– C'est pas comme si les arbres bougeaient pour s'installer où ils veulent ! «Tiens, salut, je suis un nouvel arbre, je vais me mettre là ! À côté du nouveau rocher, à droite de la nouvelle montagne !», poursuivit Renarnaque.

Et les deux amis éclatèrent de rire.

– Vous pouvez vous marrer, mais plutôt que de rester assis sur mes certitudes, moi, je vais vérifier, dit Furétourdi.

Ce qu'il fit immédiatement, suivi par Hermine-de-rien, rapide et désinvolte. Ils inspectèrent les écorces

des arbres, les gratouillèrent un peu,
se reniflèrent les griffes, goûtèrent
une feuille puis une autre, les
malaxèrent pour en sortir la sève, et
finalement se regardèrent, indécis.

— Ils sont devenus végétariens ? demanda Loubliette.

— Non, non, lui répondit Crapaupotin.

— Alors, qu'est-ce qu'ils font ?

— Ils vérifient que les arbres sont bien d'ici, expliqua Renarnaque.

— Ah oui ! C'est vrai que les arbres bougent ! J'ai vu ça, il n'y a pas longtemps, dit Loubliette.

Tous les regards se tournèrent vers lui.

Il était temps de raconter l'événement merveilleux de la semaine passée avant de l'oublier à nouveau.

Quelques jours auparavant, dans le silence du petit matin, Loublictte avait été attiré par un bruissement discret. Cela ressemblait beaucoup à un coup de vent, mais en plus doux. Loubliette avait rassemblé ses esprits, ouvert grand les yeux et constaté qu'un arbre se déplaçait. Oui, il avançait sur la pointe des racines, les ramenant soigneusement l'une après l'autre. Cherchant à ne pas se faire remarquer, l'arbre tout entier paraissait tendu et inquiet. L'effort était immense, sans aucun doute. Loubliette ne comprit pas immédiatement : était-ce donc une tornade qui avait déraciné l'arbre ? Mais alors pourquoi tout était calme alentour ? Était-ce une blague de Renarnaque ? La conséquence d'un événement surnaturel ? En tout cas, le spectacle était étonnant. Vers le bas, l'arbre projetait ses racines au ralenti. Vers le haut, il lançait puis

repliait doucement ses branches. Il
paraissait puissant et volontaire et en
même temps, il était gracieux.

Comme invité au spectacle, Loubliette avait savouré la danse de l'arbre. C'était la chose la plus surprenante qu'il ait jamais vue, à la fois belle et étrange. Enfin, la nuit s'était achevée. Son silence avait été remplacé par les bruits de l'aube. Et Loubliette, fidèle à lui-même, avait oublié.

Cependant, un nouvel arbre était bel et bien arrivé dans la forêt et, pour passer inaperçu, il entremêlait ses branches à celles des autres.

Des *ah…* , des *oh !*, des *pfffu…* et même un *mazette !* jaillirent de l'assemblée réunie, tout à fait impressionnée par le récit de Loubliette. On se dévisagea avant de lancer des regards inquiets vers les arbres. Bien évidemment, aucun arbre ne manifesta quoi que ce soit. Surtout pas le nouveau qui avait intérêt à passer inaperçu.

— Montre-toi, arbre ! lança Crapaupotin.

— Il est bien trop malin ! lança Lapinailleuse qui avait rejoint le groupe avec Lapeintre et Lapingre.

— En garde ! s'amusa Renarnaque, un bâton dans la main en guise d'épée.

— On devrait appeler les oiseaux, proposa Sourigolote. Ils connaissent les arbres bien mieux que nous.

Sourigolote se mit à siffler et cela eut pour conséquence de faire rappliquer Mésangélique, Pivert-derage et Hibouché, ainsi que ses

nombreux souriceaux. Geai-toujours-un-truc-qui-va-pas arriva en
dernier et se cacha derrière le chêne
creux. Il détestait qu'on le siffle et
qu'on l'oblige à faire des choses,
mais cela ne l'empêchait pas d'être
curieux. On expliqua la situation à
Mésangélique, une fois. Deux fois à

Pivert-de-rage parce qu'il n'écoutait pas. Et quatre fois à Hibouché qui ne comprenait jamais rien du premier coup ni du deuxième, d'ailleurs. Enfin, quand tout le monde eut saisi le problème, les oiseaux s'envolèrent pour essayer de découvrir l'intrus. La chance voulut que ce soit Mésan-gélique qui se pose sur l'arbre mystérieux. L'arbre qui savait mar-cher avec ses racines et faire danser ses branches.

# Chapitre 3

Mésangélique frappa l'écorce de son bec, mais comme une amie, pas comme l'aurait fait Pivert-de-rage.

– Est-ce toi le nouveau ? murmura-t-elle.

Puis elle observa la couleur des branches, d'un gris brun plutôt clair. L'arbre n'est pas vieux, pensa-t-elle.

– D'où viens-tu ? Comment t'appelles-tu ? lui demanda-t-elle, mais rien ne frémit en lui.

Finalement, à court de questions, elle s'assit tout au bout d'une branche. Elle était certaine de n'avoir jamais vu cet arbre à cette place.

Elle redescendit après quelques minutes de réflexion et annonça :

– Je crois que c'est un hêtre.

– Un être ! s'exclama Lapingre, inquiet.

– Il y a des êtres, ici ? s'affola Rat-bat-joie.

– Des êtres humains ? Il y a des êtres humains ? hulula Hibouché.

Et tous les animaux furent pris de panique. Les êtres humains massa-

craient tout sur leur passage, on le savait. Ils ne respectaient rien, ils étaient sales, bruyants, crétins et laids.

— Banzaï! s'écria Furétourdi qui parlait quelques mots de japonais.

— Sauve qui peut! traduisit approximativement Rat-bat-joie.

— Un HÊTRE avec un H, expliqua Mésangélique le plus calmement possible.

— Un être avec une hache! paniqua Lapeintre. Un bûcheron!!! Tous aux abris!

Ce fut alors l'affolement général. Avant de détaler, Sourigolote attrapa deux petits dans chaque patte, six sur le dos et quatre dans la gueule (dix-huit souriceaux, le compte est bon). Hibouché rentra dans son trou au-

dessus du bar à thym. Pivert-de-rage
et Geai-toujours-un-truc-qui-va-pas
fuirent à tire-d'aile, et ainsi de suite
pour tous les animaux qui étaient
venus voir ce qui se passait aux
abords du bistro de Campagnôle.
Mésangélique, d'habitude plutôt

calme, poussa un cri de désespoir puis hurla :

— Un HÊTRE pas un ÊTRE !

— Là est la question ! dit Blaireau-de-Cologne qui n'avait pas bêtement fui comme les autres. Toute la question est dans le H ! Un hêtre perdant son H devient un être. Un être avec une hache, peut-être…

— Trêve de poésie, dit Mésangélique au blaireau.

— Trêve s'explique également en suivant un raisonnement identique : c'est un rêve avec un T devant. Un rêve de thé… du thé bouillant et parfumé… chantonna-t-il.

— STOP !!!! cria la mésange qui commençait à perdre son sang-froid. Allez boire votre thé ailleurs !

Elle se tourna vers le nouvel arbre et lui donna un coup de patte de toutes ses forces de mésange, c'est-à-dire minuscules pour ne pas dire ridicules.

— Il est temps de montrer ce que tu as dans le ventre ! dit-elle au hêtre. Regarde un peu où ça nous mène ! On devient tous fous ici !

De rage, elle lâcha un petit pipi au pied de l'arbre.

– Ah… désolé… fit une voix ample et pleine d'air qui emplit tout l'espace en résonnant.

La voix ressemblait à celle que prenait parfois le vent quand il voulait faire peur, mais ce n'était pas lui. C'était l'arbre…

Mésangélique fut tout à fait

épatée des effets qu'un si petit pipi avait produit sur le grand arbre. Geai-toujours-un-truc-qui-va-pas sortit de sa cachette et vint soutenir la mésange :

– Vous dites « désolé », mais ce n'est pas assez ! Il faut maintenant vous expliquer, cria-t-il au hêtre.

Le geai poussa une série de cris pénibles pour rappeler tous les animaux enfuis, tandis que l'arbre, un peu agité des branches, se préparait à raconter son histoire.

Le hêtre habitait tout au bout de Forêveuse, vers la rivière. Certains animaux connaissaient le coin car ils y allaient en vacances. Les rives étaient accueillantes et l'on y faisait beaucoup de rencontres. On y

LE
TAMANOIR
HANTÉ

trouvait des grenouilles de toutes sortes, des poissons, mais aussi des loutres, des ragondins et des rats musqués, des salamandres, des musaraignes et même des flamants roses si l'on avait un peu de chance.

Depuis plusieurs semaines, un castor travaillait nuit et jour, à une grande construction compliquée. Tout autour, il ne restait pas un seul arbre et le castor s'aventurait de plus en plus loin dans la forêt à la recherche de nouveaux matériaux, surtout du bois. Le hêtre tremblait pour lui-même et pour les petits hêtres qui poussaient à ses côtés.

— Ce castor continue à se démener, alors qu'il a tout ratiboisé autour de chez lui, expliqua le hêtre. Il a l'air d'un fou. Il se promène à l'orée de la forêt, dents en avant, babines retroussées, prêt à scier tout ce qui ressemble de près ou de loin à un arbre. Et notre coin si ravissant est devenu horrible. C'est tout à fait contraire aux façons de faire des castors. Vous savez bien qu'ils changent de place sur la rivière quand le bois vient à manquer sur les berges. C'est bien la preuve que celui-ci est devenu cinglé !

— Ça me fait peur, moi, les castors, dit Campagnôle.

— Oui, ils sont vraiment bizarres avec leur queue plate couverte d'écailles, dit Chacalcoolique.

— Faut choisir dans la vie : soit tu es sur la terre, soit tu es dans la flotte !

— Moi, j'ai choisi ! Je suis dans la gnôle ! dit Chacalcoolique. Faut rester en accord avec soi-même !

Corbeau-parleur donna trois grands coups d'ailes et vint se poser sur le hêtre. Il adorait prendre la parole devant tout le monde :

— Mes amis, le hêtre nous fait l'honneur de sa présence. Pourquoi ne pas l'accueillir dignement ? Il ne nous veut aucun mal ! Faisons-lui une fête ! Commandons des chansons, une brise parfumée, quelques petits plats et passons un bon moment.

Sourigolote s'essuya les pattes sur son tablier en poussant un soupir. Quand on commençait par faire une fête, ça finissait toujours par un ménage gigantesque. Hérissongeur imagina ce qu'il pourrait cuisiner pour la communauté. Lapingre craignit d'avoir à faire des dépenses. Rat-bat-joie n'eut aucune envie de participer aux festivités, mais Pivert-de-rage se réjouit.

Mésangélique se posa à côté du corbeau :

– Je vous propose d'accueillir le hêtre parmi nous, sans faire de manières. Nous manquons de hêtres. Cela ne fera qu'enrichir la forêt !

Chacun se mit à battre des pattes, des ailes ou de ce qu'il avait à disposition pour dire qu'il acceptait bien volontiers ce nouvel habitant.

Tout cela aurait été merveilleux, et l'histoire aurait pu s'arrêter à cet instant, si… si… si…

# Chapitre 4

Si tout le monde avait été consulté, l'histoire aurait pu en effet se terminer là. Mais ça n'avait pas été le cas, non, pas du tout…

On entreprit donc d'organiser la fête. Certains habitants de Forêveuse partirent chercher une bouteille de gnôle, un bouquet de persil, un panier dc vers de terre. D'autres demandaient aux oiseaux de répéter leurs chansons. On se lançait également dans la préparation de quelques tours de magie à base de chapeau de paille à double fond.

Pendant ce temps-là, des êtres, qui n'étaient pas des hêtres, prenaient très mal l'arrivée du jeune intrus aux longues branches souples. Et ces êtres n'étaient pas n'importe qui, mais des chênes ou des châtaigniers immenses et plusieurs fois centenaires. Des sujets superbes et puissants qui savaient se montrer généreux en offrant leurs châtaignes et leurs glands, leur ombre et leurs creux. Ces arbres étaient essentiels et, sans eux, la forêt n'était plus la forêt. Car une forêt sans arbre ressemblait à un désert ou à un champ de bataille, à une prairie ou à un terrain vague.

Éventuellement à un champ de pommes de terre. Bref, elle était autre chose qu'une forêt.

Avec le départ des chênes et des châtaigniers, Forêveuse cesserait tout simplement d'exister. Où allait-on dormir et chasser ? S'aimer et jouer ? Il fallait regarder la réalité en face. Se mettre à dos chênes et châtaigniers était bien la dernière chose dont les habitants de Forêveuse avaient besoin.

Pour manifester leur mécontentement, les arbres firent trembler leurs racines. Les herbes eurent le tournis, la galerie de Taupenaude s'écroula et les fourmis crurent à une nouvelle attaque du Tamanoir-hanté. Puis chênes et châtaigniers firent

résonner leurs voix ; elles n'avaient pas servi depuis longtemps. Elles étaient sombres comme la terre et rugueuses comme l'écorce :

– Poilus ! Emplumés ! Bêtes à sang chaud et à sang froid, la chose est simple ! En prenant notre lumière, le hêtre nous fait dépérir. Avons-nous mérité d'être maltraités alors que nous sommes la forêt ? Le corps même de la forêt ! Dites-le-nous !

Ah ! Ils étaient tout à coup moins fiers, les animaux, avec leurs chapeaux de magiciens à double fond, leurs piles de gobelets jetables et leurs vieux déguisements pleins de taches.

— Croyez-vous qu'il nous sera possible de replier nos branches pour faire de la place à votre nouvel ami ? demanda un grand châtaignier à l'air pas commode.

Aucun habitant de Forêveuse n'osa imaginer le vieil arbre se contorsionner dans le but de prendre moins de place.

– Bon, ben, renvoyons le hêtre, alors ! s'écria Renarnaque.

– Oui, il faut qu'il rentre chez lui ! Ou qu'il aille ailleurs ! Il n'y a quand même pas que ce coin de forêt à occuper ! maugréa Rat-bat-joie.

– Il n'a qu'à trouver une solution, c'est son problème après tout ! ajouta Lapingre.

Tout le monde donna son avis et cela fit beaucoup trop d'opinions à écouter. D'ailleurs personne n'écoutait vraiment et l'on commença à s'échauffer. Cinq minutes plus tard, les habitants de Forêveuse échangeaient des gnons, des baffes, des

pinçons et des chtares, quelques bourre-pifs et deux, trois pains. (Les pains dont nous parlons n'étaient pas comestibles, c'étaient de gros coups de poing bien massifs.)

Les plumes et les poils volèrent, on vit même passer une dent.

Mais tout à coup, les gestes des uns et des autres ralentirent, les coups devinrent mous et sans effet. Les animaux se mirent à tanguer, mystérieusement fatigués. Certains se figèrent dans leur position, tandis que d'autres s'écroulèrent dans la poussière.

# Chapitre 5

Tous les animaux se trouvant à proximité du hêtre s'immobilisèrent, comme hypnotisés. Cela composait une scène bien étrange, une sorte de tableau vivant. Si quelques poils frémissaient et si quelques plumes voletaient, c'était uniquement dû à la présence du vent.

Lorsqu'elle arriva de son voyage, Loutre-mer fut tout d'abord surprise du calme qui régnait à Forêveuse.

Elle fit le tour de Lac Caractériel en se disant que tous les habitants avaient peut-être décidé de prendre un bain de l'autre côté. Certains en avaient bien besoin, soit dit en passant.

Elle retrouva Castoriginal qui lisait un bon vieux bouquin. Celui-

ci, secrètement amoureux d'elle, sauta sur ses pattes, tout ému. Ils se frottèrent le museau en guise de bonjour.

— Sais-tu où sont passés les copains ? demanda-t-elle.

— Non, je n'ai pas de nouvelles depuis plusieurs jours.

— Ah… et moi qui me faisais une telle joie de les retrouver…

— Je suis là, moi, fit Castoriginal en rougissant légèrement.

— Viens, on va les chercher, dit la loutre en le prenant par la patte.

Ils traversèrent la forêt en appelant et en reniflant. Puis ils eurent l'idée d'aller voir au bar à thym où les animaux se donnaient souvent rendez-vous. Ils approchèrent donc

du hêtre, juste en face, et remarquèrent immédiatement la bizarrerie
de la situation : tous les animaux
gisaient sous ses branches, endormis.

– Reste là, je vais voir ce qu'il se
passe, dit Castoriginal en lâchant la
patte de sa douce amie.

Ce n'était pas la meilleure idée
qu'il ait eue. Au bout de quelques
pas, il s'écroula, complètement
groggy.

– Aïe ! s'écria Loutre-mer en le
voyant s'affaler.

Elle fit plusieurs tours sur elle-
même, désemparée. Les copains
avaient l'air envoûtés. Comment les
sortir de cet enchantement ?

– Il y a quelqu'un ? demanda
une petite voix.

C'était Taupenaude. Elle avait réussi à sortir de la zone dangereuse en passant par une de ses galeries. Elle expliqua à la loutre les événements compliqués qui venaient d'avoir lieu. Loutre-mer fut très intéressée. Elle avait déjà entendu parler de phénomènes similaires :

— Dans mes voyages, j'ai rencontré des arbres qui possédaient le pouvoir de droguer leurs ennemis. Taupenaude, ce hêtre a peur ! Il ne veut pas mourir. Il se défend en laissant tomber une sorte de somnifère de ses feuilles. Et il n'y a aucune raison pour que cela s'arrête.

— Mais les amis qui sont tombés en son pouvoir vont mourir de faim et de soif !!! s'exclama la taupe, affolée.

– On va les sortir de là !

Armées de courage et d'une grande branche, la taupe et la loutre tirèrent tous les animaux hors du périmètre dangereux. Les uns après les autres, ils reprirent connaissance.

Le soir même, on chargea Chat-
touilleur et Hibouché de surveiller
les alentours du hêtre. On ne voulait
pas voir les animaux se faire de nouveau avoir comme des imbéciles.

Évidemment, certains se retrou-
vèrent pris au piège une deuxième

ou une troisième fois, mais nous ne citerons pas de noms.

Ce jour-là, on avait sauvé l'essentiel. Cependant, la zone empoisonnée au milieu de la forêt ressemblait à une verrue sur le nez d'une fée ou à une crotte de chien sur un tapis en soie. Un truc choquant et un peu honteux.

# Chapitre 6

– Je ne peux plus travailler, se plaignit Campagnôle.

Le bar à thym se trouvait en effet dans le chêne creux, face au hêtre empoisonneur. On ne pouvait pas l'atteindre sans tomber évanoui.

– On a qu'à déménager le bistro, proposa Chacalcoolique.

– Il vous faudra des masques, dit Mésangélique.

– Je pourrais avoir un masque de chevalier ? demanda Furétourdi.

— Mais non, pas des masques de déguisement ! Des masques de protection !

— De toute façon, même si on déménageait le bar, ça ne changerait rien pour les chênes et les châtaigniers, dit Geai-toujours-un-truc-qui-va-pas.

— Ils s'en iront si le hêtre reste ! soupira Sourigolote.

— Ou alors, ils ne cesseront pas de bouger et on sera complètement perdu, tout le temps, du soir au matin, du matin au soir, dit le geai, pris de panique.

— Ils refusent déjà qu'on loge chez eux ! Moi, j'ai été mis dehors, se plaignit Hibouché.

— Je n'ose pas imaginer une

guerre avec les arbres, murmura Mésangélique.

Au petit matin, la forêt fut traversée par des bruits de pot d'échappement. C'était Marmotarde. Elle s'endormit directement en descendant de moto, comme à son habitude. Il fallut attendre son réveil pour savoir si elle n'avait pas une idée à proposer. Car elle, au moins, avec l'air qui entrait sous son casque, elle avait l'esprit frais !

– Mais bien sûr que j'ai une idée ! dit-elle, toute souriante. Envoyez Castoriginal ! Il saura parler à son copain castor, celui qui détruit les alentours de la rivière.

Castoriginal ouvrit de grands yeux étonnés :

    – Et pourquoi j'y arriverais ? Je suis un castor, d'accord, mais cela ne veut pas dire que je sais parler aux castors en général ! D'ailleurs, si je n'habite pas la rivière, comme tous les castors, c'est parce que je n'aime pas leur compagnie.

— C'est facile d'envoyer les autres ! dit Lapeintre à Marmotarde.

— Oui ! tu n'es pas gênée, ajouta Geai-toujoujours–un–truc–qui–va–pas.

— « Super, on n'a qu'à dire que je ne m'en occuperai pas », fit Hérissongeur en imitant la marmotte.

— Mais moi, ça ne me dérange pas ! s'exclama Marmotarde.

Elle sauta sur sa moto et bientôt il ne resta, à sa place, qu'un nuage de poussière. Tous les animaux se regardèrent, bouche bée.

— Si ça se trouve, elle va disparaître. Pfuiit ! Tintin ! Bye, bye ! Envolée la marmotte ! fit Rat-bat-joie.

— Ce n'est pas parce que toi tu te serais planqué pour ne pas y aller, que tout le monde doit faire comme toi, lui répliqua Sourigolote.

— Fastoche, puisque Madame ne craint rien ! dit le rat.

— Et pourquoi ?

— Parce que tu es mère de famille nombreuse. Et personne ne va t'envoyer à l'aventure parce que personne n'a envie de s'occuper de tes enfants pendant que tu seras partie ! expliqua le rat.

Ça recommençait à sentir le pain, mais pas celui qui était comestible… Loutre-mer comprit pourquoi elle partait si souvent en voyage.

Elle jeta un coup d'œil à Castoriginal :

— Ce serait quand même bien d'accompagner Marmotarde. J'y vais.

— Oui, tu as raison, je viens avec toi, murmura le castor en se redressant sur ses pattes.

Il ne voulait pas se priver de la présence de son amoureuse et craignait également qu'elle ne rencontre un monsieur Loutre. On les savait nombreux par là-bas.

Ils rejoignirent un tout petit ruisseau qui partait du lac et le suivirent en direction de la grande rivière aux confins de la forêt. Ils le longèrent en marchant à une cadence régulière, les pattes s'enfonçant parfois dans la vase douce et parfumée. De temps à autre, Castoriginal attrapait une magnifique libellule bleue et l'offrait à Loutremer. Elle n'en faisait qu'une bouchée, ravie, et lui proposait à son tour quelques petits crabes délicieux, aussi rouges que les libellules étaient bleues.

Pendant ce voyage improvisé, Castoriginal vécut des moments de bonheur intense. Arrivé aux abords de la grande rivière, il était plus fou d'amour que jamais.

# Chapitre 7

La région habitée par le hêtre avait
complètement changé. Avant, c'était
une grande plaine calme où la rivière
coulait sans déborder. Maintenant,
elle s'était transformée en zone
humide et marécageuse. On décou-
vrait des troncs d'arbres dénudés et
cassés, plantés dans l'eau comme des
javelots gigantesques. Des tas de terre
noire formaient de petites îles
boueuses au milieu de l'eau pleine

d'herbes arrachées. On aurait dit qu'une pelleteuse géante et folle était venue malaxer la terre dans tous les sens. Puis qu'elle avait abandonné le chantier sans se préoccuper du désastre. Dans toute cette humidité, une intense odeur de végétaux pourris venait vous titiller le museau, ce qui n'était pas désagréable. C'est du moins ce que pensèrent Loutre-mer et Castoriginal.

Ils aperçurent la moto de Marmotarde posée sur sa béquille, au sec, et décidèrent d'aller voir si elle avait besoin d'un coup de patte, à tout hasard. Car si on devait au castor l'état catastrophique de ce coin, c'est qu'il était bigrement chamboulé du cerveau. Donc potentiellement dan-

gereux. Castor-du ? Castor-tionnaire ?
Castor-turé ?

Les deux amis avancèrent dans
la gadoue en direction d'un gros rocher et y grimpèrent à l'abri. De ce
promontoire, ils avaient un point
de vue idéal. Ils remarquèrent tout
de suite la hutte du castor, une
construction immense, tout à fait
disproportionnée.

À moins que le castor soit un
géant.

Le monstre du cours d'eau.

L'esprit vengeur de la rivière.

Mais vengeur de quoi ? se
demandèrent Loutre-mer et Castoriginal.

La construction tout en bran-
chage ressemblait à un château. Les

nombreuses pièces étaient collées les unes aux autres, un peu comme des bulles de savon. Il y avait un nombre extravagant de tours et de tourelles. Des tunnels tournoyaient tout autour de l'édifice et disparaissaient parfois entre deux murs arrondis. Certaines parties du bâtiment, dangereusement penchées, étaient soutenues par des troncs d'arbres plantés dans l'eau. La façon d'entrer restait mystérieuse.

Il y avait du génie chez ce castor, mais une sorte de génie malade.

Les deux amis (« amoureux » aurait dit Castoriginal s'il avait écrit l'histoire) marchèrent longtemps à la découverte de cette construction étonnante, mais son habitant resta caché. Il fallut attendre la nuit pour voir s'allumer une petite lumière entre les branchages. Les deux visiteurs s'approchèrent alors et découvrirent, par une petite ouverture, le castor de la rivière tenant tendrement Marmotarde dans ses bras.

Ça alors! pensèrent-ils tous les deux.

Ils en restèrent si songeurs qu'ils s'endormirent l'un contre l'autre sans s'apercevoir qu'ils s'enlaçaient eux aussi bien tendrement.

Le matin, ils aperçurent la marmotte et le castor en train de prendre leur petit déjeuner sur une des nombreuses terrasses en bois. Loutre-mer fit un signe discret à Marmotarde qui les invita aussitôt.

– Je te présente Castoriginal et Loutre-mer, fit la marmotte à son fiancé.

– Bonjour, je suis Castornade, répliqua celui-ci.

– Bonjour, dirent les deux invités qui mourraient d'envie d'entendre l'histoire du castor de la rivière.

En effet, il était temps de

comprendre comment on en était arrivé là.

C'est la marmotte qui prit la parole en premier :

— Ce qui nous pousse à faire les choses peut être la curiosité, l'ambition, la colère ou la joie… Eh bien, mes amis, pour Castornade, ce fut un chagrin d'amour ! Veux-tu nous faire le récit de ce triste épisode de ton existence ? demanda-t-elle au castor.

Elle s'attendait à ce qu'il se lance dans une magnifique explication avec de grands mots pour décrire de grands sentiments, mais Castornade ne parlait pas aussi bien qu'elle.

— Je me suis fait plaquer par ma femme. Voilà ! Elle m'a laissé tomber comme une vieille chaussette ! Et pour tout dire, ça m'a rendu dingue. J'ai cru qu'en lui construisant un palais, elle allait revenir. Je voulais l'épater, lui montrer que j'étais le meilleur. Je comprends maintenant que c'était ridicule… Le chagrin m'a aveuglé. J'ai saccagé la rivière, c'est mal. Mais c'est fini ! F.I.N.I. ! Hein, chérie, dit-il en se tournant vers la marmotte.

Marmotarde lui prit la patte puis l'enlaça très fort.

— Il est retombé amoureux, murmura-t-elle.

— Oui, j'aime cette marmotte que vous voyez là, dans mes bras ! C'est la meilleure marmotte que je connaisse et la plus jolie aussi.

Marmotarde rougit.

— On va s'installer un peu plus bas, expliqua cette dernière.

Ayant remarqué que Loutre-mer et Castoriginal s'étaient pris par la patte, elle leur demanda :

— Et alors, vous aussi vous êtes tombés amoureux ?

Ils firent un petit oui embarrassé et ajoutèrent :

— On peut aller prévenir les autres ? Peut-être que le hêtre voudra revenir chez lui. Ses enfants l'attendent…

# Chapitre 8

Pendant le trajet du retour, Loutre-
mer et Castoriginal eurent le temps
de comprendre qu'ils étaient tombés
amoureux pour de bon. Autour
d'eux, ils trouvaient tout joli et inté-
ressant. C'est exactement ce qui
arrive aux gens qui s'aiment. Avant
de rejoindre la zone où se trouvaient
le bar à thym et le hêtre vivant, ils se
frottèrent longuement le museau,
comme pour prendre des forces. Puis

ils sonnèrent le rassemblement des animaux de Forêveuse et expliquèrent enfin l'origine du problème : Castornade, le castor abandonné, avait construit un palais bien trop grand dans l'espoir d'épater sa première femme et de la faire revenir.

— Un castor malheureux en amour rend un hêtre vivant, fut la leçon qu'en tira Mésangélique.

— Je n'étais pas mort ! cria le hêtre.

Et l'on sentit immédiatement que l'air changeait de composition autour de l'arbre. Il n'y avait plus de poison ni de somnifère mêlé au gaz carbonique et à l'oxygène. C'est en regardant les insectes se réveiller et reprendre leurs nombreuses activités que l'on comprit cela.

— Les arbres ne vivent pas au même rythme que les animaux, mais ils vivent tout de même, expliqua le hêtre qui semblait apaisé.

Sans s'étendre sur le sujet, il s'extirpa du sol en faisant un bruit

assourdissant et secoua ses racines pour en chasser la terre. Puis il marcha un peu devant les animaux qui ne voulaient rien manquer de ce spectacle inattendu. On le suivit en détaillant ses gestes, admirant sa légèrcté de danseur malgré sa hauteur et son poids.

Sur la pointe des racines, le hêtre traversa la forêt et revint chcz lui.

Loubliette participa à la procession qu'il trouva exceptionnelle. Mais il fut bien incapable de dire ce que l'on célébrait.

Les petits hêtres remuèrent leurs branches de toutes leurs forces en voyant revenir auprès d'eux le hêtre qui était tout à la fois leur père et leur mère.

Les animaux firent un grand cercle autour de l'arbre et le regardèrent enfouir ses racines dans la terre.

Saules, trembles, peupliers, frênes, bouleaux, aulnes, chênes et châtaigniers, charmes, érables et merisiers, saluèrent tous ensemble le retour du hêtre et l'on crut que le vent se levait sur Forêveuse pour faire arriver un nouveau jour. Ce qui ne manqua pas de se produire.